HIDAS FRIGYES

MEDITATION
FOR BASS TROMBONE

EDITIO MUSICA BUDAPEST

Universal Music Publishing Editio Musica Budapest Zeneműkiadó Kft.
H-1370 Budapest, P.O.B. 322 • Tel.: +36 1 236 1100
E-mail: info.emb@umusic.com • Internet: www.umpemb.com

MEDITATION
FOR BASS TROMBONE

HIDAS Frigyes
(1928–2007)

Z. 12 014

Allegretto

Poco meno

Più mosso

Allegro

Allegretto

Felelős kiadó a Universal Music Publishing Editio Musica
Budapest Zeneműkiadó Kft. igazgatója
Z. 12 014/9 (1 A/5 ív); 2022
Felelős szerkesztő: Futó Balázs
Műszaki szerkesztő: Kurucz Dóra

Printed in Hungary

Terjeszti / Distributed by
Editio Musica Budapest Zeneműkiadó Kft.
1132 Budapest, Visegrádi utca 13. • Tel.: +36 1 236 1104
E-mail: emb@emb.hu • Internet: www.emb.hu